# FOLIO CADET

*Les quatre histoires qui composent ce volume
ont été écrites par Richmal Crompton.
Martin Jarvis les a adaptées pour un public plus jeune.
Les histoires originales de William ont été publiées
dans la collection Folio Junior.*

## Traduit de l'anglais par Pascale Jusforgues
## Maquette : Maryline Gatepaille

ISBN : 2-07-054221-1
Titre original : *William's Haunted House and Other Stories*
Publié pour la première fois en 1999
par MacMillan Children's Books, Londres
© Richmal C. Ashbee, pour les histoires originales
© Martin Jarvis, 1986-98, pour l'adaptation des textes
© Tony Ross, 1999, pour les illustrations
© Éditions Gallimard Jeunesse, 2000,
pour la traduction française
Numéro d'édition : 94530 – N°d'impression : 88101
Loi n° 49-956 du 16 juillet 1949 sur les publications
destinées à la jeunesse
Dépôt légal : septembre 2000
Imprimé en France sur les presses de l'imprimerie Hérissey

# William
# et la maison hantée

RICHMAL CROMPTON
ILLUSTRÉ PAR TONY ROSS

TEXTES ADAPTÉS PAR MARTIN JARVIS

GALLIMARD JEUNESSE

Bonjour !

Je m'appelle William Brown. Vous avez déjà entendu parler de moi ? Avec mon chien Pudding et ma bande de copains, les Hors-la-loi, il nous arrive tout le temps des tas d'aventures. En général, on essaie d'éviter les grandes personnes parce qu'avec elles on a toujours des problèmes. Prenez mon grand frère, par exemple. Il ne comprend jamais rien à rien. Avec ma sœur, c'est encore pire ; elle est nulle. Mes parents ? Des brutes sans cœur. Si je vous disais que mon père m'a privé d'argent de poche sans aucune raison. Et ma mère qui ne veut pas que j'élève des rats dans ma chambre !

Bref, je suis un incompris.

Croyez-moi, la vie n'est pas facile quand on est un Hors-la-loi. Et pourtant il nous arrive des choses passionnantes ! Si ça vous intéresse, venez donc me retrouver dans cette nouvelle série d'aventures. Je suis sûr que vous vous amuserez bien à les lire. En tout cas, mes copains et moi, on a drôlement rigolé.

Alors salut et à bientôt,

**William Brown**

Dans la même série :

1. *L'anniversaire de William*
2. *William et le trésor caché*

# TABLE DES MATIÈRES

La maison hantée                                    9

La vérité sort de la bouche de William     30

William et oncle George                         54

Le diable au corps                               75

# LA MAISON HANTÉE

Les Hors-la-loi venaient de découvrir qu'il y avait une maison abandonnée à côté de chez Mlle Hatherly.

– Hé ! Ce serait l'endroit idéal pour nos réunions, dit William. Ça nous changerait de la vieille grange !

– Oui, dit Ginger, mais on aura intérêt à être discrets si on ne veut pas avoir de problèmes avec les voisins. Tu les connais : dès qu'on fait un peu de bruit, ils font des tas d'histoires !

Effectivement, William avait une certaine expérience des gens du coin. Quant à Mlle Hatherly, il avait de bonnes raisons de la connaître, car John-Robert, son grand frère, était fou amoureux de Marion, la nièce de Mlle Hatherly. Or celle-ci détestait John-Robert. Premièrement parce qu'il n'avait pas un sou, deuxièmement parce qu'il laissait toujours tomber ses cendres de cigarette sur le tapis et troisièmement parce qu'il conduisait une motocyclette affreusement bruyante. Elle détestait encore plus William, mais pour des raisons beaucoup trop nombreuses à énumérer.

Quoi qu'il en soit, la maison abandonnée devint le lieu de rendez-vous favori des Hors-la-loi. Avant de se faufiler dans le jardin (par chance il y avait un trou dans la haie), ils prenaient toujours soin de regarder de chaque côté de la rue pour s'assurer qu'il n'y avait personne en vue.

Plus qu'un simple local, la vieille bâtisse se transformait, selon l'humeur et l'imagination du moment, en repaire de contrebandiers, en château fort, en île déserte ou en camp apache.

Un beau jour, William – qui n'était

jamais à court d'idées – suggéra d'organiser une petite fête en pleine nuit. Inutile de dire que cette proposition remporta un vif succès.

Le lendemain soir, alors que tout le monde dormait à poings fermés dans chaque famille, ils se levèrent et s'habillèrent en catimini, puis ils se retrouvèrent comme prévu devant la maison abandonnée. Ils se glissèrent prudemment à l'intérieur et montèrent au premier étage, faisant détaler quantité de rats à leur approche.

Henry – toujours prévoyant – avait apporté un bout de bougie. Les Hors-la-loi s'assirent en rond autour de la petite flamme et commencèrent à déballer leurs provisions sur le plancher poussiéreux, sans se soucier des toiles d'araignée qui pendaient au plafond, du papier peint qui tombait en lambeaux et des souris qui couinaient derrière les lambris. Tandis que la pleine lune risquait un œil hagard et blême à travers les carreaux de la fenêtre, les quatre amis se régalèrent de sardines à l'huile, de petits pains au lait, de fromage, de confiture et de noix de coco râpée, le tout généreusement arrosé de limonade et de sirop de réglisse (fourni par William).

– Et si on remettait ça demain ? proclama Henry à la fin du festin.

Sa proposition fut approuvée à l'unanimité.

Mlle Hatherly était membre de la société d'encouragement de la Pensée supérieure. Après avoir épuisé tous les sujets de réflexion possibles et imaginables, la docte assemblée avait décidé d'élargir le champ de ses recherches aux phénomènes métapsychiques.

– Je compte sur vous pour recueillir un maximum d'informations, déclara le président de l'association. Toutes les anecdotes personnelles et véridiques en matière de parapsychologie seront les bienvenues !

– La parapsychologie ? Qu'est-ce que c'est que ça ? chuchota timidement Mlle Simky à sa voisine de droite.

– Des histoires de fantômes, lui glissa Mlle Sluker.

– Ooooh ! s'exclama Mlle Simky, très impressionnée.

Une semaine plus tard, les membres de la Pensée supérieure se réunirent chez Mlle Hatherly. Apparemment, personne n'avait grand-chose à raconter.

– Je suis désolée mais je n'ai aucun fantôme dans mes relations, déclara Mlle Simky d'une toute petite voix. Par contre, j'ai lu des articles passionnants, ici et là, dans les magazines. Mais je suppose que ça ne compte pas, n'est-ce pas ?

– Malheureusement non, ma chère, répondit Mlle Sluker. Le président nous a clairement précisé qu'il fallait des expériences personnelles.

C'est alors que Mlle Hatherly prit la parole d'une voix tremblante d'émotion :

– J'ai une révélation très importante à vous faire. Je viens de découvrir que l'ancienne maison du colonel Henks est hantée.

Il y eut un silence de mort.

– Hantée ! s'écrièrent les autres en chœur.

Ils se mirent tous à rouler des yeux effarés et Mlle Simky s'agrippa au bras de sa voisine.

– Écoutez-moi, reprit Mlle Hatherly. Comme vous le savez, cette maison est vide depuis longtemps… Pourtant, la nuit dernière, j'ai entendu des voix et des bruits de pas. On aurait dit la démarche du colonel Henks…

Suspendus à ses lèvres, les membres de l'assistance se rapprochèrent pour écouter la suite.

– C'était à minuit. Minuit pile. J'ai la nette impression que l'esprit du colonel essaie d'attirer mon attention. Je crois qu'il a un message à me délivrer.

La frêle Mlle Simky poussa un cri perçant.

– Cette nuit, j'irai là-bas, déclara Mlle Hatherly.

A ces mots, tout le monde, sans exception, se mit à pousser les hauts cris.

– J'irai là-bas cette nuit pour prendre connaissance du message du colonel, répéta-t-elle fermement. Je vous donne rendez-vous demain, à la même heure, pour vous raconter ce qui s'est passé.

– Oooh! J'en frémis d'avance! s'écria Mlle Simky.

Ce soir-là, William descendit l'escalier à pas de loup car il y avait trop de vent pour s'accrocher aux branches du poirier qui donnait sous la fenêtre de sa chambre. Il avait enfilé un manteau par-dessus son pyjama et serrait contre lui une dizaine de petites pommes rouges qu'il avait promis d'apporter pour le dessert. Il avait beaucoup de mal à les tenir toutes dans ses bras mais, comme ses poches étaient déjà bourrées de gâteaux, il ne pouvait pas faire autrement.

Arrivé en bas des marches, il regarda rapidement autour de lui. À la lueur de la lune, il repéra un sac que son frère avait laissé traîner dans l'entrée. John-Robert

venait de passer quelques jours chez un ami. Comme il était rentré tard, il avait monté sa valise dans sa chambre mais il avait balancé dans un coin le vieux sac informe qu'il appelait son fourre-tout.

« Génial ! se dit William, je vais pouvoir y mettre mes pommes. » Il y avait quelques affaires au fond, mais il n'avait pas le temps des les enlever. De toute façon, il restait largement assez de place pour les pommes. Il les jeta dedans, ramassa le sac et se dirigea subrepticement vers la fenêtre de la salle à manger.

Dans la maison abandonnée, la fête battait son plein. Henry avait oublié d'apporter des bougies, Douglas était à moitié endormi, Ginger avait horriblement mal au ventre à cause de tout ce qu'il avait ingurgité la nuit précédente et William avait la tête ailleurs ; mais à part ça, tout allait bien.

La veille, quelqu'un avait donné à William un vieil appareil photo et il n'arrêtait pas d'y penser. Il avait déjà pris six clichés et il comptait les développer lui-même le lendemain. Il avait vendu son arc et ses flèches à un camarade de classe pour pouvoir s'acheter tout le matériel nécessaire.

Tout en croquant les pommes, les gâteaux au fromage, le chocolat au lait, les oignons au vinaigre et les raisins secs apportés pour le festin, il se voyait déjà en train de développer sa pellicule et de fixer ses œuvres sur papier. C'était quelque chose qu'il n'avait encore jamais fait mais il était sûr que ça allait lui plaire. Mélanger des produits chimiques, faire tremper des trucs dans des bacs et tout le reste, il n'y avait rien de plus marrant !

Alors qu'ils discutaient paresseusement des mérites comparatifs des catapultes et des arquebuses, les Hors-la-loi entendirent soudain du bruit au rez-de-chaussée. La porte d'entrée venait de s'ouvrir dans un grincement sinistre !

La bouche grande ouverte et pleine de miettes, les quatre amis se regardèrent avec angoisse. À présent, on entendait des pas dans le grand escalier.

Tout à coup, une voix forte et vibrante retentit dans le silence de la nuit :

– Parlez ! J'attends votre message !

Les Hors-la-loi sentirent leurs cheveux se dresser sur leur tête.

– Un fantôme ! murmura Henry en claquant des dents.

– Mince alors ! Filons vite, dit William.

Ils traversèrent rapidement la pièce pour sortir par la porte du fond, descendirent l'escalier de service sur la pointe des pieds, se faufilèrent par une fenêtre et partirent sur la route en courant comme des dératés.

Entre-temps, Mlle Hatherly avait atteint le premier étage. Elle pénétra majestueusement dans la pièce et avisa le fourre-tout de John-Robert, que les Hors-la-loi avaient oublié dans leur fuite…

Le lendemain, John-Robert alla rendre visite à Marion pour l'assurer, une fois de plus, de son amour éternel. Tandis qu'il lui déclarait sa flamme sur le pas de la porte, la jeune fille ne put s'empêcher de bâiller à plusieurs reprises. Elle commençait à trouver ces déclarations quelque peu monotones. John-Robert lui confia ensuite qu'il avait écrit des tas de poèmes sur elle mais qu'il avait malheureusement oublié de les lui apporter.

– Ça ne fait rien, entre donc, lui dit-elle d'un ton désinvolte. Ma tante et les autres – tu sais, les adeptes de la Pensée supérieure – sont en train de faire leur numéro au salon. Je ne sais pas ce qu'ils ont encore inventé mais ça risque d'être assez drôle.

John-Robert n'était pas franchement emballé mais il suivit néanmoins sa bien-aimée jusqu'au salon. À son entrée, les membres de la Pensée supérieure le dévisagèrent avec froideur. Le jeune homme n'était pas tellement apprécié dans ce genre de cercle.

Cependant, Mlle Hatherly se leva pour prendre la parole :

– Je suis entrée dans la maison hantée, déclara-t-elle d'une voix solennelle. Dès mon arrivée, j'ai entendu des voix !

Mlle Simky, toujours aussi émotive, se cramponna au bras de Mlle Sluker.

– En montant l'escalier, j'ai entendu des pas au premier étage. Malgré tout, j'ai continué à avancer…

Un murmure d'admiration parcourut l'assistance.

– Tout à coup, silence total, je n'ai plus rien entendu, poursuivit Mlle Hatherly en ménageant le suspense. Mais je sentais pourtant une présence ! Je me suis laissé guider par elle… Au bout du couloir, j'ai pénétré dans une pièce…

Mlle Simky poussa un cri.

– Et dans cette pièce, j'ai trouvé… !

D'un geste théâtral, Mlle Hatherly exhiba le fourre-tout de John-Robert.

– Je ne l'ai pas encore ouvert. Je souhaitais le faire en votre présence. Je suis sûre et certaine que c'est ce que le colonel Henks voulait me montrer. Je suis convaincue que cet objet éclaircira le mystère de sa mort. À présent… il est temps de découvrir ce qu'il contient.

– Si ce sont des restes de cadavre, je vous préviens, je vais m'évanouir, chevrota Mlle Simky.

D'un geste ferme et résolu, Mlle Hatherly ouvrit le sac. Elle en sortit tout d'abord une paire de chaussettes bleues reprisées de partout, ensuite une vieille chemise trouée, puis un maillot de bain délavé et un pantalon de flanelle blanche passablement crasseux.

Les membres de la Pensée supérieure semblaient déçus, mais Mlle Hatherly ne se laissa pas décourager.

– Ce sont des indices ! affirma-t-elle. Ces vêtements doivent avoir une signification, j'en mettrais ma main à couper. Ah ! Regardez : il y a également un carnet. Je suis sûre que nous allons y trouver toutes les explications.

Elle ouvrit le calepin et se mit à lire à voix haute :

*Oh, Marion ! Ma douce et tendre*
*Ses cheveux sont d'or et ses yeux*
*d'ambre.*
*Son cœur est pur et généreux,*
*Tel un saphir du plus beau bleu.*
*Mais un dragon féroce et cruel*
*Garde ce trésor à nul autre pareil.*
*Car ma bien-aimée a pour tante*
*Une créature hideuse et terrifiante.*
*En un mot, je vous le dis :*
*Il s'agit de Mlle Hatherly…*

– Quoi ? s'écria, furibonde, la créature en question.

– Il y a marqué « J.-R. Brown » sur les

chaussettes, annonça soudain Mlle Sluker, qui avait examiné les « indices » de plus près.

Mlle Hatherly poussa un cri de rage et se tourna brusquement vers le jeune homme… Mais il avait disparu.

Quand John-Robert avait vu son fourre-tout entre les mains de Mlle Hatherly, il était devenu tout rouge.

Quand il avait vu surgir ses chaussettes, il était devenu cramoisi.

Quand elle avait sorti sa chemise, il avait viré au gris.

Quand elle avait brandi son pantalon, il était devenu vert.

Quand elle s'était emparée de son carnet, il était devenu jaune.

Et quand elle avait commencé à lire son poème, il avait discrètement filé par la fenêtre.

Marion le rejoignit sur la route quelques instants plus tard.

– Eh bien ! On peut dire que tu as fait du

joli ! s'écria-t-elle. Peux-tu m'expliquer ce que tout cela signifie ?

– Oh, Marion ! Je suis désolé. Surtout, ne va pas croire que je porte encore ces vieux habits. Ça fait longtemps que je ne les mets plus. D'ailleurs, j'ignorais qu'ils étaient au fond de ce sac et...

– Oh ! Je ne te parle pas de tes affaires ! riposta-t-elle sèchement. Je me fiche de ce que tu portes. Ce qui me rend malade, c'est qu'on ait lu ce poème stupide devant toutes ces vieilles pipelettes. Pourquoi as-tu donné ce maudit sac à ma tante ? Tu es cinglé ou quoi ?

– Mais ce n'est pas moi, je te le jure ! protesta John-Robert. Justement, je l'ai cherché pendant des heures. J'ai fouillé toute la maison pour le retrouver. Je n'arrive pas à comprendre comment ta tante a pu mettre la main dessus. C'est un mystère. Un véritable mystère !

– Arrête de dire ça ! Ce que j'aimerais savoir, c'est ce que tu comptes faire à présent.

– Je vais me suicider, déclara sombrement John-Robert. Il n'y a plus rien qui me retient à la vie maintenant que tu ne veux plus de moi...

– Te suicider ? Je ne t'en crois pas capable, mon pauvre ! ricana méchamment Marion. Mais je serais quand même curieuse de savoir comment tu t'y prendrais.

– C'est simple : j'avalerai du poison.

– Ah oui ? Et lequel par exemple ?

– Eh bien... euh... de l'arsenic.

– On ne voudra pas t'en vendre. Ça ne

s'achète pas comme une botte de radis, figure-toi.

– Des tas de gens prennent du poison, rétorqua John-Robert. Les journaux sont pleins d'histoires d'empoisonnement. Ça prouve bien qu'on peut s'en procurer.

Arrivés devant la maison des Brown, ils s'arrêtèrent juste sous la fenêtre de William.

– De toute façon, il n'y a pas que l'arsenic, reprit John-Robert. Je connais des tas d'autres poisons qui feront l'affaire. Je ne te dirai pas lesquels mais je…

À cet instant, William, qui avait fini de développer ses photos, vida sans vergogne le contenu de son bac de révélateur par la fenêtre. Pendant une minute, Marion et John-Robert restèrent muets de stupeur et dégoulinants d'hydrosulfate de sodium. Puis Marion s'écria, folle de rage :

– Espèce de brute ! Je te hais !

– Mais… mais ce n'est pas de ma faute, protesta-t-il tout en essayant de recracher aussi poliment que possible les quelques gouttes de produit chimique qui s'étaient sournoisement immiscées dans sa bouche. Je ne sais pas ce qui s'est passé. Franchement, je ne comprends pas...

– Et moi je comprends que ça vient de ta sale maison et que mon chapeau est fichu ! vociféra Marion. Je te déteste et je ne t'adresserai plus jamais la parole !

Sur ce, elle tourna les talons et partit à grands pas, tout en s'épongeant nerveusement la nuque avec son mouchoir.

John-Robert la regarda s'éloigner jusqu'à ce qu'elle fût hors de vue, puis il rentra chez lui en maugréant. Marion se plaignait pour son chapeau, mais il n'y avait vraiment pas de quoi fouetter un chat en comparaison de son costume à lui, qui était complètement fichu du haut en bas. Sans parler de son histoire d'amour... Il ne comprenait toujours pas comment les événements avaient pu s'enchaîner de façon aussi tragique, mais il était prêt à parier n'importe quoi que ce petit monstre de William avait quelque chose à voir avec tout ça –

comme toujours dès qu'il y avait du gra-
buge quelque part.

Finalement, John-Robert renonça à se
suicider. Il était bel et bien décidé à vivre
aussi longtemps qu'il le faudrait pour se
venger de son frère et lui rendre la vie aussi
infernale que possible – si toutefois c'était
possible avec un démon de cet acabit !

# LA VÉRITÉ SORT DE LA BOUCHE DE WILLIAM

Tous les dimanches matin, William allait à l'église avec sa famille, mais il n'écoutait jamais ce que disait le pasteur.

Ce dimanche-là, pourtant, comme le mot « Noël » revenait très souvent dans la bouche du saint homme, William rangea son scarabée dans sa boîte et décida, pour une fois, de prêter l'oreille au sermon.

– Qu'est-ce qui empoisonne les relations humaines, je vous le demande ? proclamait le pasteur avec ferveur. Qu'est-ce qui pervertit tout, même cette semaine sainte que nous allons entamer ? Le mensonge, mes frères. Le mensonge ! À l'approche de

Noël, je voudrais donc que nous fassions tous un effort pour bannir la duplicité et nous abstenir de toute hypocrisie. Que chacun s'adresse à l'autre avec franchise et sincérité! Que la vérité sorte enfin de nos bouches et de nos cœurs! Ce sera le premier pas vers une vie meilleure. Forts de cette résolution, vous vivrez le plus beau Noël de votre vie!

William fut très impressionné par ces paroles. Il décida d'obéir aux exhortations du pasteur et de parler en toute franchise à son entourage. Il se fixa le jour de Noël pour mettre en pratique cette belle résolution.

Cette année-là, toute la famille Brown devait aller passer les fêtes chez oncle Frederick et tante Emma. Seul le père de William avait décliné l'invitation, prétextant qu'il était appelé au chevet d'une vieille tante malade. William aurait bien aimé en faire autant, mais il n'avait malheureusement pas de vieille tante malade à garder…

Oncle Frederick et tante Emma étaient de bons vivants, comme le prouvait leur embonpoint. Ils n'avaient pas vu William depuis qu'il était bébé et se réjouissaient de passer Noël en sa compagnie.

– Ah-ah ! Voici donc le petit William ! s'exclama oncle Frederick en lui frottant vigoureusement la tête. Et comment va notre cher petit ?

– Très bien, merci, répondit-il en s'écartant rapidement.

– Dis à ta tante et à ton oncle comme tu es heureux de venir passer les fêtes chez eux. N'est-ce pas que tu es content, William ? insista sa mère.

Comme sa résolution ne prenait effet que le lendemain, William céda à l'hypocrisie des bonnes manières et marmonna un vague « oui ».

Le jour de Noël, William se réveilla de bonne heure. Les chaussettes qu'il avait accrochées la veille au soir devant la cheminée de sa chambre avaient l'air plutôt bien remplies. Il commença à déballer rapidement ses paquets, sans pour autant se faire beaucoup d'illusions.

Et voilà ! Aussi nul que d'habitude ! Toujours les mêmes vieux trucs à la noix : une trousse avec un stylo, une règle et un crayon ; une nouvelle brosse à cheveux et un peigne ; un porte-monnaie (vide, bien entendu) et une cravate. Les seuls cadeaux potables étaient un canif et un paquet de caramels mous.

Sur une chaise à côté de son lit, il trouva

également un livre d'histoire religieuse (cadeau de tante Emma) et, de la part d'oncle Frederick, une boîte renfermant un compas, une équerre et un rapporteur.

Un peu plus tard, William se présenta au petit déjeuner, l'air morose et plus résolu que jamais à appliquer les recommandations du pasteur. Il souhaita un joyeux Noël à tout le monde d'une voix sinistre et garda sous le bras les cadeaux qu'il devait offrir à ses hôtes.

– Alors, mon chéri, est-ce que tu as trouvé tes cadeaux ? lui demanda sa mère.

– Oui. Merci.

– Est-ce que mon livre te plaît ? demanda tante Emma.

– Non, répondit William sans l'ombre d'une hésitation. L'histoire religieuse, ça m'intéresse pas du tout.

– Et mes instruments de mesure ? demanda oncle Frederick.

– Non plus. On en a déjà plein à l'école. Mais ça ne veut pas dire que j'aurais aimé en avoir s'il n'y en avait pas en classe.

– William ! s'écria Mme Brown, scandalisée. Comment peux-tu être aussi ingrat !

– Je ne suis pas ingrat, je suis sincère, rectifia tranquillement William. J'essaie de… de m'abstenir de toute hypi… hypro… enfin, ce qu'il nous a raconté l'autre jour à la messe. Alors voilà : je vous dis franchement que l'histoire religieuse ne m'intéresse pas et les compas non plus. Mais merci beaucoup quand même.

Il y eut un silence glacial. William en profita pour sortir les cadeaux qu'il cachait derrière son dos.

– Tiens, c'est pour toi, dit-il à sa tante.

L'atmosphère se réchauffa aussitôt.

– Comme c'est gentil à toi ! s'exclama tante Emma en s'activant à dénouer le ruban.

– J'y suis pour rien, rétorqua William, toujours fidèle à sa ligne de conduite. C'est maman qui a insisté pour que je te donne quelque chose.

Mme Brown se mit à tousser très fort.

– Euh… Oui… Mais c'est quand même

très gentil de ta part, marmonna tante Emma, légèrement refroidie.

Elle réussit enfin à ouvrir le paquet.

– Oh! Une pelote à épingles! Merci beaucoup, William. Vraiment, tu n'aurais pas dû dépenser tant d'argent pour moi!

– J'ai pas dépensé un sou. C'est un truc que maman a gagné à la kermesse l'année dernière. Comme elle n'en avait pas besoin, elle l'a mis de côté en disant qu'elle trouverait toujours quelqu'un à qui le refiler.

Mme Brown fut reprise d'une violente quinte de toux, mais c'était peine perdue.

– Oh, je vois, lâcha tante Emma. Ta mère a tout à fait raison. Merci quand même.

De son côté, oncle Frederick se vit offrir un porte-monnaie en cuir.

– Ah! Voilà un cadeau bien utile, mon garçon, déclara-t-il d'un air jovial.

– Utile... c'est vite dit, reprit William. C'est papa qui l'a reçu pour son anniversaire mais il paraît que la fermeture est cassée... alors il me l'a donné pour que je te le donne.

Quand ils se retrouvèrent entre eux, un peu plus tard, les Brown laissèrent éclater leur indignation.

– Je t'avais prévenue ! lança Ethel à sa mère.

– On devrait le pendre, ce sale gosse ! explosa John-Robert.

– William ! Comment as-tu pu faire une chose pareille ? se lamenta Mme Brown.

Dans le courant de l'après-midi, on

entendit une voiture s'arrêter devant la maison. Oncle Frederick jeta un coup d'œil par la fenêtre.

– Oh, non ! Voilà la vieille Atkinson, s'écria-t-il. Au secours ! Tout mais pas ça !

– Allons, mon cher, un peu de tenue, lui dit tante Emma avec sévérité. Tu devrais avoir honte de parler comme ça. Tâche d'être aimable avec elle… Lady Atkinson appartient à l'une des plus grandes familles d'Angleterre, ajouta-t-elle à voix basse en se tournant vers Mme Brown.

La noble dame en question fit son entrée au salon. Elle était plutôt rondouillarde et portait un chapeau et un manteau un peu trop olé olé pour son âge.

– Joyeux Noël à vous tous ! claironna-t-elle d'une voix de Castafiore. Et ce garçon ? C'est votre neveu ? Quel est son nom ? William ? Enchantée, William.

Après avoir salué tout le monde avec une certaine condescendance, elle tendit une enveloppe à tante Emma en disant :

– Voici mon cadeau de Noël. Je tenais à

vous le remettre en main propre. Ouvrez-le, voyons !

Tante Emma s'exécuta docilement et découvrit une grande photo dédicacée de Mme Atkinson.

– Eh bien ? Qu'en pensez-vous ?

Murmures d'admiration de toute l'assistance.

– C'est un très bon portrait, n'est-ce pas ? reprit Mme Atkinson. Et toi, mon petit ? Comment me trouves-tu sur cette photo ?

William examina le portrait d'un œil critique.

– Vous avez l'air moins grosse qu'en vrai, lui dit-il, toujours par souci de franchise.

– William ! hurla Mme Brown. Comment peux-tu être aussi malpoli ?

– Malpoli ? Moi ? Je suis franc, c'est déjà bien, non ? J'ai l'impression d'être le seul à dire la vérité dans cette maison ! En plus, on dirait que ça ne fait plaisir à personne. Pas un merci, pas un compliment, rien !

Pourtant c'est vrai qu'elle fait moins grosse sur cette photo. Et puis on voit beaucoup moins ses rides et elle n'a pas tout à fait la même figure. En vrai, elle est nettement plus moche et elle...

Tandis que William s'évertuait à comparer le portrait et son original, Lady Atkinson, frémissante de rage, se précipita sur lui et lui lança de toute sa hauteur :

– Espèce de petit voyou ! Tu... tu... tu n'es qu'un vilain... vilain... petit garçon !

Puis elle sortit de la pièce et claqua la porte derrière elle.

Mme Brown, Ethel et John-Robert restèrent sans voix, pétrifiés d'horreur. Tante Emma se mit à pleurnicher.

– Elle ne reviendra plus jamais ici, plus jamais ! se lamenta-t-elle.

– En effet, j'en ai bien peur, ma chère, lui dit son mari avec un grand sourire. On dit que la vérité sort de la bouche des enfants et c'est ma foi vrai. Ah ! William, il n'y a rien de tel que la vérité !

L'arrivée du facteur fit diversion. Parmi le courrier, il y avait une superbe carte de Noël d'un artiste dont l'atelier se trouvait à cinq minutes de marche.

– Comme c'est aimable à lui de nous envoyer ses vœux ! s'écria tante Emma. En remerciement, nous pourrions lui offrir le calendrier que M. Frank nous a donné, il est encore tout neuf. William pourrait peut-être aller le porter à M. Fairly avec nos compliments. On peut te faire confiance, n'est-ce pas mon petit William ? Pendant ce temps-là, nous autres, nous irons faire une petite promenade.

Trop content d'avoir enfin l'occasion de s'échapper, William se rendit donc chez M. Fairly. Il lui remit le calendrier de la part de tante Emma, après quoi le sculpteur lui proposa aimablement de lui faire visiter son atelier.

M. Fairly avait une barbe taillée en pointe et des manières très théâtrales. De toute évidence, il venait de faire un repas copieusement arrosé. Le cadeau de tante Emma l'émut aux larmes.

– Comme c'est gentil ! Comme c'est exquis ! s'exclama-t-il. Mon jeune ami, veuillez pardonner l'émotion qui m'étreint... mais la vie est tellement dure que je ne suis pas habitué à ce genre de délicatesse. Si vous voulez bien m'excuser, je vais me retirer un moment dans ma chambre afin de prendre ma plus belle plume pour rédiger un mot de remerciement à votre chère et charmante tante. En attendant, mon jeune ami, mettez-vous à votre aise, je vous en prie. Vous êtes ici chez vous !

Après avoir agité la main, il se dirigea d'un pas incertain vers la pièce du fond et referma la porte derrière lui.

William décida de patienter. Soudain, la franchise prônée par le pasteur lui apparut sous un nouvel angle, qui pourrait se résumer ainsi : si vous dites la vérité en toute circonstance, vous pouvez raisonnablement admettre que les autres font de même à votre égard. Or l'artiste avait dit : « Mettez-vous à l'aise… Vous êtes ici chez vous. »

William traversa l'atelier et ouvrit un placard. À l'intérieur, il y avait des tas de tubes de peinture, deux palettes et un restant de gâteau. Il s'attaqua gaillardement au gâteau et, une fois rassasié, il parcourut pensivement la pièce du regard. Sur une petite estrade, il aperçut un personnage assis sur un gros coussin. Il s'en approcha prudemment. C'était une statue presque grandeur nature. On aurait dit une grosse poupée, drapée dans une robe de soie fine.

William la souleva. Elle n'était pas bien lourde. Il l'installa sur une chaise près de la

fenêtre, puis il s'amusa à lui mettre le chapeau et l'imperméable qui étaient accrochés au portemanteau de l'entrée. Ensuite il lui posa sur la tête un carré de mousseline noire qu'il avait trouvé dans un coin et lui en couvrit le visage à la manière d'une voilette.

En pleine exaltation créatrice, William alla serrer la main à son œuvre, puis il commença à lui parler. Il décida de l'appeler Annabelle.

Tout à coup, il se rappela le mot que devait lui remettre M. Fairly. Il frappa poliment à la porte de sa chambre. Pas de réponse. Il entra sur la pointe des pieds et jeta un coup d'œil à une lettre qui traînait sur le bureau, juste à côté de la porte.

*Chère amie,*
*Merci infiniment pour votre ravissant calendrier. Les mots me manquent pour...*

Après il y avait une rature et puis plus rien. De toute évidence, M. Fairly était tellement à court de mots qu'il avait préféré aller réfléchir sur son lit... où il s'était endormi comme une masse pour cuver son vin.

Laissant le sculpteur à ses rêves, William retourna dans l'atelier. Il ne tarda pas à avoir une autre idée de jeu.

– Ça te dirait d'aller faire un petit tour ? demanda-t-il à Annabelle.

Tel un prince délivrant sa princesse, William se précipita sur la statue, puis il

sortit en l'emportant dans ses bras.
Surexcité par le côté sportif d'un tel exploit
– sans oublier tous les dangers qui le guet-
taient en cours de route –, il fonça droit
devant lui et parcourut le village en tous
sens.

Malheureusement, le jeu s'avéra beaucoup moins drôle que prévu. Il n'y avait
pas un chat dans les rues et donc personne
pour se lancer à la poursuite du vaillant
ravisseur.

En désespoir de cause, William regagna
la maison de sa tante. À peine arrivé dans
l'entrée, il réalisa que la présence
d'Annabelle ne serait peut-être pas vue
d'un très bon œil par les membres de sa
famille. L'ennui, c'est qu'elle n'était pas
facile à cacher.

Pour l'instant, la maison était déserte
mais les autres n'allaient sûrement pas tarder à rentrer. On les entendait déjà parler
au coin de la rue. William regarda rapidement autour de lui. Comme la porte du
salon était ouverte, il s'y précipita, déposa

la statue sur une chaise, face à la cheminée, puis il revint dans l'entrée et prit son air le plus innocent en attendant le retour des promeneurs.

Deux minutes plus tard, tante Emma et les autres franchirent le seuil de la maison. À la grande surprise de William, ils passèrent devant lui sans un mot et se rendirent discrètement dans la salle à manger pour y tenir conseil.

– Vous avez vu ? Il y a quelqu'un dans le salon ! chuchota tante Emma.

– Oui, je l'ai aperçue par la fenêtre en arrivant, répondit Mme Brown à voix basse. Connaissez-vous cette personne ?

– Pas le moins du monde, ma chère. La bonne l'aura sûrement laissée entrer en notre absence.

– La barbe, encore une visite ! On ne peut donc jamais être tranquille ! grommela oncle Frédérick. Que nous veut cette bonne femme ?

– Elle collecte peut-être des fonds pour une œuvre de charité, hasarda Mme Brown.

William avait assisté à ce débat avec l'impassibilité du Sphinx. Pendant que tout le monde se faufilait dans l'entrée, il resta prudemment en retrait. Oncle Frederick fit un pas dans le salon et se mit à tousser bruyamment. Annabelle ne bougea pas.

– Bonjour ! hurla oncle Frederick.

Comme la visiteuse refusait toujours d'esquisser le moindre geste, il s'avança vers elle en disant :

– Écoutez, madame, je ne sais pas ce que…

Il n'alla pas plus loin, car M. Fairly fit irruption au même moment. Il entra en coup de vent, encore passablement éméché mais bouillonnant de rage.

– Où est-il ? Où est le voleur ? Ce misérable chenapan qui s'est emparé de ma statue, qui a dérobé le manteau et le chapeau de ma femme de ménage et qui a dévoré tout mon gâteau ! Quand je pense qu'il ne m'en reste plus une miette ! Ah ! Si jamais je l'attrape !

Tout à coup, le sculpteur avisa Annabelle. Il traversa le salon à grands pas, prit la statue dans ses bras et se tourna vers le cercle des spectateurs complètement abasourdis.

– C'est une honte ! s'indigna-t-il. La prochaine fois, gardez vos sales calendriers et vos sales gamins pour vous-mêmes !

Dans un dernier rugissement de colère, il sortit en trombe de la pièce et dévala les marches du perron en serrant contre lui sa précieuse œuvre d'art.

Oncle Frederick, tante Emma, Mme Brown, John-Robert et Ethel assistèrent à son départ dans dire un mot. Ce n'est qu'en se tournant vers William qu'ils retrouvèrent enfin l'usage de la parole.

– Qu'est-ce que tu as encore fabriqué, espèce de monstre ? tempêta John-Robert.

– Je ne vois qu'une solution : ce gamin est à enfermer, déclara Ethel.

– William, dit Mme Brown, je ne sais pas ce qui a pu se passer et je ne veux pas le savoir, mais je te préviens que ton père sera mis au courant de cette affaire dès notre retour !

Le lendemain, oncle Frederick les raccompagna jusqu'à la gare. Avant le départ du train, il s'approcha de William et lui glissa dans la main une pièce d'une demi-couronne en disant :

– Tiens, mon garçon, tu t'achèteras ce que tu veux. Je tiens encore à te remercier pour Lady – euh… enfin je crois qu'Emma a raison. Elle ne reviendra sûrement jamais plus chez nous.

Ce soir-là, quand M. Brown demanda si

William avait été sage et qu'on lui répondit : « Non », comme d'habitude, il refusa d'en entendre plus et décida tout simplement de priver son fils d'argent de poche pendant un mois.

William accepta la punition sans broncher. À vrai dire, il était plutôt content. La corvée de Noël était terminée. Finies les bonnes résolutions ! Il allait enfin pouvoir reprendre une vie normale. Le cœur léger, il partit se promener.

En chemin, il rencontra Ginger. Rien qu'à voir sa mine, on devinait que Noël n'avait pas dû être une partie de plaisir pour lui non plus.

– Alors, c'était bien ? lui demanda quand même William.

– Non, grogna Ginger. C'était nul. Devine ce que ma tante m'a offert comme cadeau ? Une paire de bretelles. Non mais tu te rends compte : des bretelles !

Du coup, William lui raconta tous ses malheurs.

– Je suis allé à l'église, j'ai écouté le pas-

teur et j'ai fait comme il a dit. « Soyez sin-
cères les uns avec les autres, dites la vérité
autour de vous et vous verrez comme tout
ira mieux ! Vous passerez le meilleur Noël
de votre vie », qu'il disait. Tu parles ! Ça n'a
pas marché du tout. C'était le pire Noël de
ma vie ! Je n'ai pas arrêté de me faire
enguirlander par tout le monde. J'ai l'impression que, à part moi, personne ne disait
la vérité. En plus, on m'a privé d'argent de

poche. Je n'y comprends plus rien, j'en ai assez. Tant pis pour la franchise et la sincérité. On a moins d'ennuis avec l'hyp… l'hyp… Ah ! Comment on dit déjà ?

– L'hypnotisme ? suggéra Ginger.

– Oui, ça doit être ça, dit William. En tout cas je m'y remets dès demain matin !

# WILLIAM ET ONCLE GEORGE

William s'était acheté des lunettes. Une vieille paire de lunettes à monture d'écaille qu'il avait payée six pence à un garçon qui les avait lui-même achetées un shilling à un copain qui les tenait du grand-père du cousin de sa défunte tante.

William était très fier de ses lunettes. Il les mettait tous les matins pour aller à l'école et ne les quittait plus de la journée. Quand il les avait sur le nez, tout devenait flou, mais cet inconvénient n'était rien comparé au prestige que lui donnaient ces grosses montures.

À présent, les cours étaient terminés et

William, toujours lunetté d'écaille, rentrait chez lui en compagnie de Ginger.

– Regarde, j'arrive à marcher comme si j'avais une jambe de bois, dit-il.

Et il se mit à avancer en se déhanchant exagérément, balançant sa jambe raide sur le côté en faisant chaque fois un grand moulinet.

– Et moi, je peux claquer des dents à toute vitesse comme si j'avais un dentier, écoute ça ! dit Ginger en commençant à mordre dans le vide avec voracité.

Ils continuèrent ainsi un bon moment, l'un pilonnant, l'autre cliquetant. Tout à coup, ils s'arrêtèrent net.

Sur le trottoir, juste devant la porte d'une maison, il y avait un vieux fauteuil roulant sur lequel étaient posées une couverture et une écharpe.

– Ah ! Voici enfin ma voiture, s'exclama William. C'est trop fatigant de marcher avec une jambe de bois.

Et il s'installa avec volupté sur la chaise roulante. Le fait d'être à la fois possesseur d'une paire de lunettes à grosses montures et d'une jambe artificielle le comblait de fierté et de joie.

– Pousse-moi un peu ! lança-t-il à Ginger après s'être douillettement enveloppé dans la couverture.

Ginger empoigna le fauteuil sans enthousiasme et se mit à pousser mollement l'infirme. Au bout de quelques mètres, pourtant, il se prit au jeu et commença à accélérer le pas, pour finir par dévaler la rue à fond de train. William tenait ses précieuses lunettes en écaille d'une main et, de l'autre, s'agrippait de toutes ses forces au bras du fauteuil.

Les deux amis s'arrêtèrent en bas de la rue, histoire de souffler un peu.

– T'es un super pousseur ! s'écria William.

Il arrangea sa couverture et rajusta ses lunettes.

– Est-ce que j'ai l'air d'un pauvre vieux bonhomme ? demanda-t-il fièrement.

Ginger se mit à ricaner.

– Pas du tout ! T'as l'air trop jeune. On voit bien que tu as une tête de garçon. Les vieux, ils ont des tas de rides, de la moustache et une figure toute tordue.

La bouche de travers, l'œil chassieux et le front plissé, William se composa un visage calamiteux.

– Et maintenant ? demanda-t-il de nouveau.

Ginger l'examina sans complaisance.

– Maintenant on dirait un macaque.

William prit alors la longue écharpe en tricot qui reposait sur le dossier du fauteuil, puis il s'en enveloppa le cou et la tête de façon qu'on ne puisse plus voir que ses lunettes à monture d'écaille.

– Et comme ça ? demanda-t-il d'une voix étouffée.

– C'est mieux, décréta Ginger. On sait pas trop à quoi tu ressembles mais ça passe.

– Alors c'est bon, marmonna William de sa voix d'outre-tombe. On va dire que je serais un vieux bonhomme et que tu me ramènerais chez moi... Mais doucement, hein ! N'oublie pas que je suis très, très vieux. Faut pas trop me bousculer.

Ils entamèrent le voyage de retour. Affalé dans son fauteuil, William prenait à cœur son rôle de vieil impotent. Un rôle très agréable, d'ailleurs. À travers les nombreuses couches de lainage et les verres épais de ses chères lunettes, il regardait défiler le paysage avec l'air d'un vieux sage.

Soudain, une passante s'arrêta net en les croisant.

– Oncle George ! s'exclama-t-elle d'une voix agréablement surprise.

Elle était grande, mince, et portait une robe de couleur vive.

– Je suis vraiment contente de vous voir, reprit-elle. Comme vous n'avez pas répondu à notre dernière lettre, on ne s'attendait plus à vous voir. Et voilà que je vous croise sur le chemin de la maison ! C'est formidable ! Je ne vous ai pas vu depuis longtemps, cher oncle George mais, dès que je vous ai aperçu, je vous ai reconnu. J'ignorais que vous aviez ce fauteuil roulant mais… j'ai immédiatement reconnu le cache-nez que je vous avais envoyé pour votre anniversaire, l'an dernier.

Après avoir déposé un rapide baiser sur l'écharpe de laine, la femme se tourna vers Ginger.

– Nous n'avons plus besoin de toi, maintenant, lui lança-t-elle avec autorité. Je vais accompagner mon oncle moi-même.

Et elle lui glissa une pièce de monnaie dans la main.

– Allez, file maintenant ! ajouta-t-elle. Je vais m'occuper de lui.

Après trois secondes d'hésitation, Ginger prit ses jambes à son cou. L'élégante dame commença à pousser le fauteuil roulant. Tout en avançant d'un bon pas, elle se pencha sur William et lui hurla à l'oreille :

– Comment allez-vous, cher oncle George ?

William jeta des regards éperdus autour de lui mais il n'y avait aucune issue. Sentant bien que l'inconnue attendait une réponse, il poussa un vague grognement pour ne pas être trahi par sa voix.

– J'en suis ravie, absolument ravie ! cria la dame à l'oreille du cache-nez. Sachez que si vous décidez de vous sentir mieux, vous vous porterez forcément mieux, c'est toujours ce que je vous ai dit.

À ce moment-là, William réalisa avec horreur qu'ils étaient en train de passer le portail d'une propriété.

Il était prisonnier de l'ennemi et le piège se refermait sur lui !

Il avait du mal à respirer, il y voyait à

peine et il ignorait ce qui allait lui arriver. Faute de mieux, il se remit à grogner.

Son accompagnatrice l'abandonna sur la pelouse et disparut derrière une haie de buis. Il l'entendit parler à des gens de l'autre côté :

– Il est ici ! Il est là ! Oncle George est arrivé ! leur souffla-t-elle d'une voix surexcitée.

– Oh, mon Dieu ! s'écria une autre voix. Qu'allons-nous faire de lui, Frédérica ? Il est tellement pénible !

– Oui, mais il est riche, mère, ne l'oubliez pas. D'après le peu que j'ai pu voir, il n'a pas trop changé. Légèrement ratatiné, peut-être... comme toutes les personnes âgées. En tout cas, côté caractère, il est égal à lui-même. Toujours aussi grincheux. Enfin ! Essayons quand même de l'amadouer...

– Tu ne crois pas qu'il vaudrait mieux avertir les enfants, Frédérica ?

– Oh, si, bien sûr ! Où avais-je la tête ? Écoutez-moi : votre grand-oncle George est un vieux monsieur. Très, très vieux. Nous ne l'avons pas vu depuis dix ans, mais il vient de louer une maison meublée dans les environs. Il est assez... excentrique, vous comprenez ? Plutôt bizarre, si vous préférez. Il vit seul avec son domestique et il ne voit jamais personne. Nous l'avons invité plusieurs fois à venir nous rendre visite mais il a toujours refusé, alors nous nous sommes dit qu'il devait encore être fâché. La dernière fois que je l'ai vu – il y a dix ans – je lui ai fait remarquer que s'il voulait faire un effort, il serait sûrement capable de marcher. Ça l'a vexé. Quoi qu'il en soit, je l'ai croisé par hasard cet après-midi. Il était en train de venir chez nous et il est ici maintenant !

À l'instant précis où William songeait sérieusement à prendre ses jambes à son cou, la famille au grand complet apparut au détour de la haie. Il les fixa avec effroi.

Tout d'abord venait Frédérica, la femme qui l'avait capturé et embarqué de main de maître ; à côté d'elle se tenait une vieille dame avec un nez aquilin surmonté d'une paire de lorgnons; ensuite venaient un jeune vicaire, puis un étudiant à la carrure d'athlète qui portait l'uniforme d'un collège quelconque. Enfin une petite fille.

Cette fille, William la connaissait. Elle s'appelait Emmeline. Elle était dans la même école que lui et il la détestait.

Se voyant encerclé par l'ennemi, il remonta nerveusement sa couverture, s'emmitoufla de plus belle dans son écharpe et se tassa prudemment au fond de son fauteuil.

– Vous vous souvenez de mère, n'est-ce pas, cher oncle George? hurla Frédérica à travers les trois couches de lainage.

La vieille dame s'approcha et lui tendit majestueusement la main. William opta pour un nouveau grognement. Ce mode de communication était efficace. Ils reculèrent tous d'un pas.

– Quel vieux grincheux! lança Frédérica à voix basse. Et susceptible avec ça! Je parie qu'il s'est encore vexé. Tout ça parce

que je lui ai dit tout à l'heure qu'il irait
mieux si seulement il le voulait !

– Chut ! Il pourrait t'entendre, souffla la
vieille dame.

– Aucun risque, il est sourd comme un
pot.

William poussa un grognement féroce.

– Il n'a pas l'air bien, dit la vieille dame
d'un air inquiet. J'espère qu'il n'a rien de
contagieux. James, je crois que tu ferais
mieux de l'examiner.

Frédérica propulsa l'un des deux jeunes
gens sur le devant de la scène.

– Voici James, votre petit-neveu, cria-t-elle de sa voix haut perchée. Il est étudiant en MÉDECINE et il aimerait BEAUCOUP vous PARLER !

Les autres se retirèrent à l'autre bout de la pelouse et observèrent discrètement la suite des opérations.

– Euh… bonjour, oncle George, balbutia poliment James. Si vous voulez bien euh… me montrer votre langue… euh… me MONTRER votre LANGUE, je pourrais peut-être faire euh… quelque chose pour vous si… vous avez mal – MAL – quelque part ?

Il entreprit alors de dérouler le cache-nez du pauvre malade. William le repoussa brusquement et se mit à gronder avec une telle férocité que l'apprenti médecin fit un bond en arrière, comme s'il venait de se faire mordre.

Il arrivait à sortir de sa gorge des sons de plus en plus inquiétants. James resta planté près de lui sans rien dire puis, sentant monter un grognement plus sauvage et plus menaçant encore que les précédents, il décampa en vitesse pour aller rejoindre les autres.

– Ça y est, je l'ai euh… examiné, leur annonça-t-il. Apparemment, il n'a rien de grave… Juste un caractère de cochon.

– Alors c'est un cas pour toi, Jonathan, décréta la vieille dame d'un ton lugubre.

Frédérica prit le jeune vicaire par le bras et l'amena presque de force devant le vieillard acariâtre.

– Voici votre petit-neveu JONATHAN, oncle George ! s'époumona-t-elle. C'est un futur homme d'ÉGLISE. Il aimerait beaucoup avoir un ENTRETIEN avec vous, CHER oncle George !

Après un bref coup d'œil au tas de couvertures surmonté d'une paire de lunettes, elle tourna les talons et s'esquiva rapidement. Jonathan adressa un timide sourire à son grand-oncle et commença à lui parler haut et fort, tout en entrecoupant son discours de divers commentaires à voix basse.

– BONJOUR, ONCLE GEORGE –

que le diable vous emporte – NOUS SOMMES TOUS TRÈS CONTENTS DE VOUS VOIR – tu parles ! – J'ESPÈRE QUE NOUS NOUS VERRONS SOUVENT MAINTENANT – Dieu nous en garde – NOUS SOMMES UNE FAMILLE UNIE – affreuse vieille momie ! – NOUS ESPÉRONS QUE… euh… QUE…

Il s'interrompit pour reprendre son souffle et William, qui avait beaucoup apprécié ce numéro, se mit à ricaner. Jonathan s'éloigna en poussant un soupir de soulagement.

– Tout va bien, annonça-t-il aux autres. J'ai l'impression que mes paroles l'ont apaisé. En tout cas, il a l'air de bien meilleure humeur.

William les observait à la dérobée, se demandant ce qu'ils mijotaient et lequel d'entre eux on allait lui expédier cette fois.

C'est alors qu'il vit arriver deux servantes. L'une portait une table et l'autre un plateau couvert de gâteaux diablement appétissants, ainsi qu'une grande coupe de salade de fruits. William en avait déjà l'eau à la bouche !

Malheureusement, l'heure de goûter à toutes ces merveilles n'était pas encore venue, car c'était au tour d'Emmeline de tenter une manœuvre de séduction auprès du vieil oncle. Frédérica la poussa sur la pelouse après lui avoir collé un bouquet de roses dans les bras. Avec un sourire désarmant d'ingénuité, la gamine déposa les fleurs sur les genoux de William en déclamant son compliment d'une voix de crécelle :

– Cher arrière-grand-oncle George ! Nous sommes très contents de vous voir et nous vous aimons beaucoup et...

Tandis que les adultes contemplaient, de loin, ce touchant tableau avec des sourires satisfaits, William retenait son souffle afin de pousser un grognement d'une rare férocité. Mais tout à coup, tout le monde tourna la tête en voyant arriver un vieux bonhomme qui marchait avec difficulté. Il avait l'air furieux.

– Où est-il ? On m'a dit qu'il était entré ici ! Et mon fauteuil roulant, où est-il ? Montrez-moi cette fripouille, cette canaille, ce voleur de fauteuil ! Comment a-t-il osé ? Je lui apprendrai, moi ! Où est-il, que je lui arrache les oreilles ?

William ne se le fit pas dire deux fois. Avec une remarquable présence d'esprit, il rejeta ses couvertures, envoya balader ses lunettes et fila droit vers le portail sans demander son reste.

Mais tout vieux et impotent qu'il fût, le propriétaire du fauteuil n'en avait pas moins de bons réflexes. Il ramassa un plantoir que le jardinier avait oublié de ranger et le lança de toutes ses forces sur William. L'objet l'atteignit à la cheville et, pour le coup, le fugitif continua sa course en boitant pour de vrai.

– Cher oncle George ! claironna Frédérica en s'approchant du vieil homme. Je ne comprends pas ce qui s'est passé mais admettez que j'avais raison : je vous ai toujours dit que vous pourriez marcher si vous le vouliez !

Dans un grognement de rage, le vieillard se tourna vers elle et lui envoya la salade de fruits en pleine figure.


Le lendemain, William retrouva Ginger sur le chemin de l'école.

– Merci, hein ! T'es vraiment un type courageux, y a pas à dire ! lui lança-t-il, sarcastique. C'est sympa de m'avoir laissé tout seul avec cette bande de fous ! Tu aurais

quand même pu faire quelque chose pour me tirer de leurs sales pattes, non ?

– Alors ça, c'est la meilleure ! protesta Ginger. Qu'est-ce que tu voulais que je fasse ? Tu m'as demandé de te pousser, je t'ai poussé ! Toi, t'étais bien tranquille dans ton fauteuil. Si t'étais moins égoïste, c'est toi qui m'aurais poussé. Chacun son tour. Moi je serais resté dans le fauteuil et c'est toi qui aurais pu partir avant que ça se gâte.

À ce moment-là, Emmeline apparut sur la route. Elle portait une paire de grosses lunettes à monture d'écaille.

– Hé ! C'est nos lunettes ! s'écria Ginger.

– Non, non, non ! ricana Emmeline avec un sourire triomphal. Je les ai trouvées, alors elles sont à moi maintenant. Si tu veux savoir comment elles ont atterri sur ma pelouse, demande à William Brown. En attendant, je les garde. Elles sont rien qu'à moi, na !

Pendant quelques instants, William resta sans voix. Puis un sourire diabolique éclaira son visage.

– Cher arrière-grand-oncle George !
déclama-t-il d'une voix criarde. Nous
sommes très contents de vous voir et nous
vous aimons beaucoup beaucoup !

Emmeline se mit à rougir de honte et de
colère. Elle partit en courant, sans toutefois
lâcher les lunettes.

– Dis, qu'est-ce qui s'est passé exacte-
ment hier ? demanda Ginger.

– Oh, je ne sais plus trop, déclara
William qui n'avait pas envie de s'appesan-
tir sur le sujet. Je leur ai grogné dessus et
ils ont eu une pétoche d'enfer mais j'ai pas

pu avoir de gâteau et il m'a jeté une saleté de truc et puis… Oh ! il s'est passé des tas de choses mais j'arrive plus à m'en souvenir. Mais au fait… combien elle t'a donné, cette bonne femme ?

– Six pence, annonça fièrement Ginger en sortant la pièce de sa poche.

– Génial ! s'exclama William. Viens vite, on trouvera bien un truc à s'acheter.

– D'accord. Mais pas une paire de lunettes ! précisa Ginger.

# LE DIABLE
# AU CORPS

William devait rester quelques jours chez sa tante Florence. Inutile de dire que ce n'était pas de gaieté de cœur, pour elle comme pour lui.

– J'ai beaucoup de choses à faire en ce moment, lui annonça-t-elle d'emblée. J'espère que tu sauras t'occuper tout seul.

– Pour ça, pas de problème, déclara William. Même quand je suis seul, je me débrouille comme un chef !

Dès le lendemain matin, il s'en alla gaiement inspecter les environs. Tante Florence habitait un tout petit village. Le seul intérêt et l'unique sujet de conversation des habitants portait sur le grand concours de fruits et légumes qui devait avoir lieu à la fin du mois. L'engouement que suscitait cet événement tenait à la célèbre rivalité qui opposait deux vieux jardiniers amateurs. Depuis des lustres, les deux concurrents se battaient avec acharnement pour obtenir une incontestable suprématie en matière d'asperges et de pêches.

Quatre années de suite, le colonel Summers avait remporté le prix des plus grosses pêches et M. Foulard celui des plus belles asperges. Mais chacun, bien entendu, rêvait de battre son rival sur son propre terrain.

À l'approche du concours de cette année, le colonel s'était juré de remporter une victoire écrasante, dans la bataille des asperges comme dans celle des pêches. En son for intérieur, M. Foulard s'était fait le même serment.

William avait réussi à glaner toutes ces informations en se baladant dans les rues du village.

Deux jours plus tard, alors qu'il courait sans regarder devant lui, il rentra de plein fouet dans un homme qui s'apprêtait à franchir le seuil d'un grand portail en fer forgé. Le choc fut sévère et William se retrouva le nez dans la poussière. En levant les yeux, il vit se profiler les longues moustaches jaunes du colonel Summers.

– Voyons, voyons… Tu n'es pas d'ici, toi. Est-ce que je me trompe ?

– Non, répondit William en se remettant debout. Je suis chez ma tante.

– Eh bien ! Tu ferais mieux de venir te débarbouiller chez moi, reprit le vieil officier. Regarde-moi ça ! Tu ne peux pas rentrer chez ta tante dans cet état-là.

Toujours prêt pour de nouvelles aventures, William accepta volontiers l'offre du colonel et il le suivit jusqu'à l'entrée d'une grande maison blanche qui se dressait tout au bout de l'allée. Une fois à l'intérieur, son hôte s'empara d'une brosse à habits, puis il s'évertua à l'épousseter de haut en bas afin de lui redonner un aspect à peu près convenable. Après quoi il le conduisit dans une pièce dont les murs étaient tapissées d'armes orientales.

– J'imagine que tu t'intéresses à ce genre d'objets, n'est-ce pas, mon garçon ? lui demanda-t-il.

Et sans attendre sa réponse, il se mit à lui expliquer l'origine et l'historique de chaque arme, ajoutant ici et là une foule d'anecdotes un peu longuettes.

Mais William était bon public. Il écoutait le colonel bouche bée, les yeux rivés sur les merveilles qui l'entouraient. Il était surtout fasciné par une collection de poignards de Birmanie, dont la lame redoutable était protégée par un fourreau de cuir peint à la main.

– Si tu es sage, je t'en offrirai peut-être un avant ton départ, déclara le colonel.

Il se sentait de très bonne humeur. Cela faisait des années qu'il n'avait pas eu d'auditoire aussi attentif. En général, les gens écoutaient ses histoires en bâillant aux corneilles. William était un don du ciel pour le colonel Summers.

– N'hésite pas à revenir me voir, lui dit-il en le raccompagnant jusqu'à la porte.

Puis il lui montra le potager et lui indiqua un raccourci pour rentrer chez lui.

– Rappelle-toi ce que je t'ai dit : je te donnerai peut-être un de mes poignards, un de ces jours ! Et n'oublie pas de refermer la porte du jardin derrière toi !

En traversant le potager, William passa

devant une grande serre où les célèbres pêches du colonel étaient en train de mûrir tranquillement...

Sur la route, William se cogna encore dans quelqu'un et il se retrouva de nouveau les quatre fers en l'air. En levant les yeux, il reconnut la figure rougeaude de M. Foulard.

– Ça t'apprendra à regarder où tu vas, petit malotru ! s'écria ce dernier en fusillant William du regard. Tu ne peux pas faire attention, non ? Quelle honte de bousculer les gens de cette façon !

Sur ce, il se dirigea à grands pas vers le portail d'une maison modestement baptisée Le Grand Domaine.

Le lendemain matin, William alla rendre visite au colonel Summers. Le jour suivant également. Le jour d'après aussi. Ce poignard de Birmanie, il le voulait à tout prix ! Il avait compris que, pour le mériter, il devait prêter une oreille assidue aux récits du colonel.

Un beau jour, en traversant le potager, il s'attarda près de la serre. Pour une fois, la porte était ouverte et le jardinier ne rôdait pas dans les parages. Après avoir jeté un coup d'œil autour de lui, William ne résista pas à la tentation d'aller admirer les pêches de plus près. Il pénétra dans la serre en catimini...

Il n'avait pas l'intention d'en manger. Non ! Juste d'en caresser une du bout du doigt. Malheureusement, William n'était pas très doué pour les caresses. Il dut y aller un peu trop fort car la queue cassa net et la pêche s'écrasa par terre... Il la regarda avec consternation, puis avec un certain intérêt.

Après tout, autant la manger...

Il ramassa la pêche et mordit dedans à pleines dents. Elle était juteuse et sucrée à souhait. Il n'avait jamais rien mangé d'aussi bon !

Il regarda les fruits accrochés aux branches. Un de plus, un de moins... personne n'y ferait attention. Tout bien considéré, il y en avait même beaucoup trop. Avec les meilleures intentions du monde, William décida de soulager le pauvre petit arbre de son lourd fardeau.

Les plus grosses pêches étaient tout en haut, mais par chance il y avait une échelle. William y grimpa... en cueillit une et la croqua sur place... puis il en prit une deuxième, une troisième, une quatrième...

Soudain, il entendit un grand cri et un bruit de pas précipités. Il lâcha sa dernière pêche à moitié dévorée et, du haut de son perchoir, risqua un œil à travers le feuillage. Le jardinier et le colonel Summers, blêmes de colère, arrivaient en courant vers la serre !

Pris de panique, William fit un faux mouvement. L'échelle se déroba sous ses pieds et s'abattit sur les vitres qui volèrent en éclats. Instinctivement, William s'accrocha à la première branche venue. Il déclencha une véritable avalanche de pêches qui ne prit fin que lorsque la branche eut cédé sous son poids.

Le colonel et son jardinier contemplèrent le massacre avec des yeux remplis d'horreur.

– Je ne veux pas savoir ce qui s'est passé, William, déclara sèchement tante Florence une heure plus tard. Le colonel Summers vient de téléphoner pour me demander l'adresse de ton père et je la lui ai donnée. Il avait l'air dans tous ses états. Il compte écrire à tes parents pour se plaindre de ta

conduite et exiger des dédommagements.
Non, non! Tais-toi! Je ne veux pas entendre un seul mot de plus à propos de cette
histoire. Tu verras bien quand ton père
recevra la lettre.

L'après-midi, William décida d'aller
faire une grande promenade. En passant
devant le portail du Grand Domaine, il
aperçut M. Foulard. Ce dernier lui fit un
grand sourire.

– Comment vas-tu, mon jeune ami? lui
demanda-t-il aimablement.

William se renfrogna, soupçonnant
quelque raillerie ou quelque feinte derrière cette surprenante gentillesse. Mais
M. Foulard sortit alors quelques pièces de
sa poche et il les lui tendit en disant, le
plus gentiment du monde :

– Je suppose qu'un peu d'argent de
poche ne serait pas pour te déplaire, hein,
mon garçon ?

– Euh… non… enfin oui… Mmmmerci
beaucoup, ânonna bêtement William en
empochant la monnaie.

Il ne comprenait plus rien à ce qui lui arrivait.

Il venait simplement de se passer la chose suivante : la veille, M. Foulard avait appris la triste fin du pêcher qui faisait la fierté de son rival. Dès lors, il avait toutes les chances de remporter le premier prix, à la fois pour les pêches et pour les asperges.

– Tu veux goûter ?

Médusé, William hocha la tête.

– Alors viens avec moi ! reprit M. Foulard en commençant à remonter l'allée qui menait à la maison.

Il installa son invité dans le salon et le contempla avec un sourire admiratif. En moins de dix minutes, ce gamin avait réussi ce qu'il essayait en vain de faire depuis des années, à savoir : démolir le vieux Summers et son satané pêcher !

– Que dirais-tu d'une part de tarte aux prunes, hmm ? proposa-t-il au jeune héros.

C'est en terminant sa troisième part de tarte que William eut le second choc de la journée. Entendant soudain des voix dans le jardin, il tourna la tête et aperçut par la fenêtre une grosse dame et un gros garçon joufflu.

– Ah ! Voici ma fille et mon petit-fils ! s'exclama M. Foulard. Est-ce que tu connais mon petit Georgie ?

– Euh… oui, dit William. Je l'ai rencontré tout à l'heure.

De fait, il avait croisé Georgie et sa mère dans la rue une heure plus tôt. Il s'était même battu à coups de pierres avec lui.

Resté seul en compagnie d'une quatrième part de tarte aux prunes, William guettait la porte, tout en tendant l'oreille à la conversation qui se tenait dehors.

– Ne me dites pas que ce gamin est ici, père ? Pas cet affreux garnement qui a massacré les pêches du pauvre colonel Summers !

– Que veux-tu, ma fille, à cet âge-là les garçons ont le diable au corps, c'est comme ça, on ne les changera pas ! Il ne faut pas être trop sévère avec eux.

– Mais il a jeté des pierres à Georgie ! s'indigna la dame.

– Ah, ça, ce n'est pas bien, évidemment, concéda M. Foulard. Mais après tout…

« Après tout, c'est grâce à lui que j'aurai le premier prix des pêches », pensa-t-il tout bas sans oser le dire tout haut.

Mais la mère de Georgie ne voyait pas les choses de cet œil-là. D'un geste brusque, elle écarta M. Foulard de son passage et entra dans le salon.

– Bonjour, dit William sans se laisser démonter.

– Bonjour, répondit-elle d'une voix glaciale. Tu as fini de goûter ? Alors c'est l'heure de rentrer chez toi. Au revoir.

– C'est bon, c'est bon ! J'y vais…

Après avoir délicatement léché son assiette pour ne pas gaspiller les dernières miettes de tarte aux prunes, il se retira dignement.

Georgie le regarda partir avec un sourire sournois. Il venait d'avoir une idée… Pendant que William sortait par la porte, il se glissa discrètement par la fenêtre.

William n'avait pas envie de se presser.

Une fois dehors, il décida de visiter un peu le jardin. Il s'écarta de l'allée centrale et se dirigea vers le carré d'asperges auxquelles M. Foulard accordait tous ses soins, puis il reprit tranquillement le chemin de la sortie.

Soudain, il reçut une poignée de boue en pleine figure. Il en avait partout. Dans les yeux, dans la bouche, dans le cou! Alors qu'il s'essuyait d'un geste rageur, il aperçut vaguement une silhouette qui prenait la fuite. Ni une ni deux, il se lança à sa poursuite.

Georgie détalait comme un lapin. Il courait droit devant lui, sans savoir où il allait. William le rattrapa au bord du carré d'asperges. Il lui envoya un coup de poing fulgurant et le gros garçon alla s'aplatir dans les tendres pousses.

Mais, asperges ou pas, les deux garçons étaient partis pour se bagarrer. Sans même réaliser qu'ils piétinaient outrageusement des plantations de premier prix, ils se sautèrent dessus, s'empoignèrent, roulèrent par terre et se cognèrent à tour de bras. Au bout de cinq minutes, le carré d'asperges n'était plus qu'un triste coin de terre ravagée d'où émergeaient quelques malheureuses tiges brisées.

Quand William rentra chez sa tante ce soir-là, ce fut pour apprendre que M. Foulard avait téléphoné afin d'avoir l'adresse de son père. Il comptait lui écrire sur-le-champ pour se plaindre de la conduite inqualifiable de William et exiger des dédommagements pour la perte de ses chères asperges.

Du coup, William décida de ressortir faire un petit tour…

En chemin, il croisa le colonel Summers. Ce dernier venait justement d'apprendre la destruction totale des précieuses cultures de son rival.

– Je dois m'absenter jusqu'à demain, lui annonça-t-il. Mais passe chez moi dans la matinée et nous verrons pour le poignard que je t'ai promis. Quant à cette lettre…

– Oui ? demanda William, très intéressé.

– Eh bien… Tout compte fait, je crois que je ne l'enverrai pas. J'ai été jeune, moi aussi, je sais ce que c'est. Tous les garçons de ton âge ont le diable au corps, on ne les changera pas ! N'oublie pas de venir chercher ton poignard. Au revoir.

Le vieil officier s'éloigna sur la route, laissant William complètement stupéfait. «Finalement, je ne m'en tire pas si mal, songea-t-il. J'aurai mon poignard et mon père ne recevra qu'une lettre au lieu de deux. En plus, on peut dire que j'ai bien fait les choses : grâce à moi, le colonel

Summers et M. Foulard se retrouvent à égalité. À moins d'un imprévu, ils auront chacun un prix. »

Mais de l'imprévu, il y en eut…

William continua à déambuler sur la route, le cœur rempli de gratitude envers le colonel Summers. En longeant la propriété du généreux donateur de poignard, il aperçut tout à coup une vive lueur rouge à travers la haie. Était-ce un incendie ? Un appentis en flammes ? Il décida illico qu'il valait mieux aller voir de plus près. C'était bien le moins qu'il pût faire pour son vieil ami.

Il poussa la porte du jardin et marcha rapidement vers l'endroit d'où provenaient les flammes. Ouf ! Tout allait bien. Ce n'était qu'un vieux tas de feuilles qui finissait de brûler.

Rassuré, William sortit du jardin du colonel sans refermer le portail derrière lui. Puis il fit demi-tour afin de rentrer chez sa tante.

M. Foulard apprit la nouvelle au moment où il s'apprêtait à écrire sa lettre à M. Brown. Le carré d'asperges du colonel Summers avait été réduit à néant pendant la nuit ! La porte de son jardin étant malencontreusement restée ouverte, vingt-cinq moutons en avaient profité pour aller danser la bourrée dans le potager. Il ne restait plus une seule tige d'asperge debout !

Un fin sourire erra sur les lèvres de M. Foulard. Pauvre vieux Summers ! Plus de pêches et plus d'asperges. Dans quel état il devait être !

Il imaginait déjà les gros titres du journal local à la publication des résultats du concours :

M. H. B. FOULARD REMPORTE LE PREMIER PRIX POUR SES PÊCHES DE SERRE !

Et rien pour ce pauvre vieux Summers...

Il déchira lentement la lettre destinée au père de William. « Après tout j'ai été jeune, moi aussi, songea-t-il. Je sais ce que c'est.

À cet âge-là, tous les garçons ont le diable au corps ! Inutile d'être trop dur avec ce petit chameau. »

Le lendemain matin, William se rendit comme promis chez le colonel Summers. Celui-ci le reçut assez froidement. Il ignorait que le jeune garçon était indirectement responsable du massacre de ses asperges mais, en plus de le mettre de très mauvaise humeur, cette catastrophe lui rappelait désagréablement le précédent épisode des pêches.

Il s'imaginait déjà les gros titres du journal local à l'annonce des résultats du concours :

M. H. B. FOULARD REMPORTE LE PREMIER PRIX POUR SES PÊCHES DE SERRE !

– Le poignard ? Quel poignard ? demanda-t-il d'une voix morose.

– Celui que… que vous m'avez promis, avança timidement William.

– Tu as dû mal comprendre. Tu ne t'at-

tends tout de même pas à ce que je t'en donne un ?

– Pourtant, j'ai tout fait pour le mériter, insista William.

– Ah oui ? Et quoi par exemple ?

– Eh bien, comme je croyais qu'il y avait le feu chez vous, je suis entré pour voir. Je voulais l'éteindre, vous comprenez ? Je ne pouvais savoir que c'était juste un tas de feuilles qui brûlaient dans un coin.

Le colonel Summers devint rouge comme une tomate.

– Alors c'est toi qui as laissé la porte ouverte ? C'est toi !

À ce moment-là, la bonne entra avec une lettre à la main.

Le colonel l'ouvrit et la lut. C'était le Comité des Fruits et Légumes qui lui annonçait que, étant donné les circonstances, le concours ne pourrait pas avoir lieu cette année.

Le visage du vieux colonel s'éclaira d'un mince sourire. Sauvé ! Sauvé à la dernière minute ! Il ne gagnerait aucun prix mais ce misérable Foulard non plus.

– Bien, bien, bien, dit-il en se tournant vers William. Qu'est-ce qui t'amène ici, à propos ? Ah oui ! Une histoire de poignard, c'est ça ?

– Ou... oui, vous m'aviez dit que...

– Mais oui, bien sûr ! s'écria le colonel Summers comme s'il venait subitement de recouvrer la mémoire. Ah ! ces garçons ! Tous des diables, mais on ne les changera jamais ! Quand je pense à Foulard... Ha, ha ! Pauvre vieux Foulard ! Va faire ton choix dans le salon, mon petit. Prends le poignard que tu veux, je te l'offre !

C'était le lendemain soir. William était rentré chez lui. Dès son retour, il était monté dans sa chambre, prétextant qu'un brin de toilette ne lui ferait pas de mal après le voyage.

Quand il redescendit, il trouva ses parents qui l'attendaient au salon.

– Bizarre, cette lettre de tante Florence,

disait justement M. Brown à sa femme. D'après ce que je comprends, nous ne devrions pas tarder à recevoir des plaintes d'un certain colonel Summers et d'un certain M. Foulard. À mon humble avis, ton fils a encore fait des bêtises…

Avant que Mme Brown eût le temps de répondre, William fit son entrée, étincelant d'innocence et de propreté.

– Alors, est-ce que tu t'es bien amusé ? lui demanda sa mère, mine de rien.

– Oui, merci, répondit-il sobrement.

– Tu n'as rien de… d'intéressant à nous raconter ? questionna M. Brown.

William fit semblant de se creuser la tête.

– Non. Rien de spécial.

– Voyons voir… Il y avait bien un M. Foulard là-bas, non ? Est-ce que tu ne l'aurais pas rencontré, par hasard ?

Impassible, William regarda son père droit dans les yeux.

– M. Foulard ? Oui, je m'en souviens très bien. Il m'a donné cinq shillings et de la tarte aux prunes.

– Ah ?... Et le colonel Summers, souligna Mme Brown. Est-ce que tu le connais ?

De sa poche, William sortit le superbe poignard de Birmanie.

– Le colonel Summers ? Oui. Il est très sympa. Regardez ce qu'il m'a offert !

Renonçant à comprendre, M. et Mme Brown se regardèrent en haussant les épaules.

**Richmal Crompton** est née en 1890
en Angleterre. Étudiante surdouée,
elle obtient une licence de lettres en 1914,
ce qui était à l'époque exceptionnel pour
une jeune femme. Pendant la Première
Guerre mondiale, elle est professeur
de lettres mais une grave maladie,
la poliomyélite, l'oblige à abandonner
l'enseignement. C'est en 1922,
dans un magazine, que furent publiées
les deux premières histoires de William.
De 1922 jusqu'à sa mort, en 1959,
elle écrivit trente-huit livres sur William
et trente-neuf autres romans.

**Tony Ross** est né à Londres en 1938.
Après ses études de dessin, il travaille
dans la publicité puis devient professeur
à l'école des Beaux-Arts de Manchester.
Ses premiers livres pour enfants ont été
publiés en 1973. Depuis, il en a fait plus
de cinquante. Il est aujourd'hui l'un
des plus grands illustrateurs.
Il vit en Angleterre, au bord de la mer,
avec sa femme.
Pour Tony Ross, les enfants sont beaucoup
plus importants que les éditeurs,
les hommes politiques ou les rois

et il a toujours essayé de faire de son
mieux pour leur offrir des dessins
qui leur plaisent.
« Souvent, je récris à ma manière
des histoires traditionnelles pour
contribuer à les faire connaître aux enfants
d'aujourd'hui. Et parfois, j'écris mes propres
contes, parce que je ne peux pas
m'en empêcher. »

**William Brown**, le personnage de Richmal
Crompton, est un peu un héros national
en Grande-Bretagne, et ses aventures
ont rejoint sur les étagères des
bibliothèques les romans de Kipling,
Stevenson ou Frances Burnett !

**Martin Jarvis** a fait la connaissance de
William Brown quand il était lui-même âgé
de neuf ans ! En 1973, il adapte sa première
histoire de William pour la BBC et depuis
ses émissions – plus d'une centaine
réalisées à ce jour, sont devenues
des classiques dans leur genre. Martin
Jarvis est également comédien.

Découvrez
d'autres aventures de William
dans la collection
**FOLIO CADET**

L'Anniversaire de William
(**FOLIO CADET** n° 398)

Quatre aventures
de l'insupportable William :
– *L'anniversaire de William*
– *William Père Noël*
– *Saint William*
– *William et le musicien*

« Le Père Noël avait bel et bien disparu de la surface de la terre avec tous les enfants de la maternelle !

Pendant ce temps, Ethel raccompagnait M. Solomon à la porte du jardin ; elle éternua soudain et M. Solomon se dit qu'il n'avait jamais entendu d'éternuement aussi mélodieux. C'est alors qu'il vit arriver sur lui une horde de mères en furie.

Les auxilliaires comprirent la situation au premier coup d'œil, et M. Solomon baissa du même coup dans leur estime. Cependant, la question primordiale était de retrouver les enfants. La mère du petit Johnnie avait une voix perçante qui dominait toutes les autres et, pendant un bon moment, M. Solomon se demanda pourquoi toutes ces femmes étaient venues en délégation lui annoncer que Johnnie avait perdu son cache-nez. Quand les choses s'éclaircirent, il ouvrit des yeux ronds et effarés.

– Mais-mais-mais... je ne comprends pas... M. Green est venu faire la distribution...

– Ce n'était pas M. Green, précisa l'une des auxilliaires. C'était un jeune garçon – sans doute un de vos élèves du dimanche. Nous ne l'avons pas bien vu à cause de sa perruque et de sa barbe.

– Un-un-un de mes élèves, dites-vous ?

– Si j'avais pu prévoir qu'il emmènerait Johnnie dehors, jamais je ne lui aurais ôté son cache-nez !

– Allons, allons, mesdames, restons

calmes, reprit M. Solomon d'une voix angoissée. Vos chers petits ne peuvent pas être bien loin. Ils se sont sans doute cachés pour faire une farce. Ah! ah!

Bien que la farce ne leur parût pas désopilante, les mères le suivirent afin d'inspecter l'école dans les moindres recoins. Elles se montraient de plus en plus hostiles et le tenaient apparemment pour seul responsable du drame.

– Quand je pense qu'il était là, à badiner avec une rouquine, pendant qu'on volait nos enfants! glapit l'une d'entre elles. Espèce de Néron! ajouta-t-elle pour montrer qu'elle avait de la culture.

– Hérode! clama une autre pour ne pas être en reste.

– Landru! cria une troisième qui avait des références plus contemporaines. »

(Extrait de *William Père Noël*)

William
et le trésor caché
(**FOLIO CADET** n° 400)

Quatre aventures
de l'insupportable William :
– *Le trésor caché*
– *Le bonhomme de neige*
– *La fugue de Marie-Violette*
– *William fait les courses*

« – "Vivre à l'écart de la civilisation",
énonça William avec dédain. Pff ! Comme
sujet pourri, on ne peut pas faire mieux !

– Tu connais le vieux Frenchie ! Il nous
donne toujours des sujets de rédaction
nuls, enchaîna Ginger.

– De toute façon, ce type-là est contre le
progrès, renchérit Douglas. Il dit toujours
qu'il aurait voulu vivre à l'âge de la pierre.

– Il aurait mieux fait, comme ça on ne
l'aurait pas sur le dos aujourd'hui, reprit
William.

– Ce type-là n'aime pas la compagnie,
c'est clair, dit Henry. Quand il en a
vraiment marre, il préfère fuir les horreurs

de la civilisation et il se retire tout seul en pleine campagne pour se ressourcer dans la paix et la tranquilité – enfin, c'est ce qu'il dit…

– Tu parles d'un programme ! lâcha William.

Juste avant d'arriver à la vieille grange, les Hors-la-loi s'arrêtèrent net en voyant apparaître une étrange silhouette.

– Eh ! Qu'est-ce que c'est que ça ? s'écria Ginger.

C'était une sorte de nain vêtu d'un manteau beaucoup trop long pour lui. Son visage disparaissait à moitié sous une épaisse tignasse noire. Le curieux personnage s'avança vers eux. »

(Extrait de *La fugue de Marie-Violette*)